LIRICHE

Giacomo Zanella

© 2023 Culturea Editions

Texte et illustration de couverture : © domaine public
Edition : Culturea (Hérault, 34)
Contact : infos@culturea.fr
Retrouvez notre catalogue sur http://culturea.fr
Imprimé en Allemagne par Books on Demand
Design typographique : Derek Murphy
Layout : Reedsy (https://reedsy.com/)

Dépôt légal : janvier 2023
Tous droits réservés pour tous pays

ISBN : 9791041964963

Natura ed arte

Pensiero con pensier, rima con rima
Intarsïando andai sulle mie carte;
E fu tal ora che l'ambita cima
Aver già tocca mi sembrò dell'arte.

Come s'inganna, chi sé stesso estima!
Or m'avveggo che l'una all'altra parte
Non sempre ben risponde, e che la lima
Non sempre eguale il suo lavor comparte.

O natura, natura! Attenta al tutto,
Quando crei l'arboscello, e tronco e seme
Tu promovi ad un tempo e fiore e frutto.

Crescon le parti armonizzando insieme:
Io sovente al finir del mio costrutto
Contemplo un mostro. E d'agguagliarti ho speme!

Voci segrete

(1850).

Auree voci, che di concenti

Misterïosi l'orecchio empite;

Fiochi susurri, sommessi accenti,

Donde venite?

Chi di me parla? D'obliqui detti

Segno mi fanno lingue scortesi?

Fan di me strazio maligni petti

Ch'io non offesi?

Chi mi ricorda? Tenue bisbiglio,

Pari a tintinno d'arpa remota,

Forse una cara mormori al figlio

Materna nota?

O degli amici meco vissuti

Sotto le dolci patrie montagne,

A questo core porti i saluti

Che ancor li piaghe?

Sia che da' monti, sia che dall'onde

Ancor vi mandi, sia che da' cieli,

Di caro spirto, che si nasconde,

Nunzie fedeli,

Voci gentili, per voi maggiore
Sorgo degli anni, sorgo del fato;
Fammisi immenso tempio d'amore
Tutto il creato.

Ad un ruscello

(1850).

Fresco ruscel, che dal muscoso sasso

Precipiti tra i fiori e la verzura,

E mormorando tristamente al basso

Ratto dilegui per la valle oscura,

Rammenti ancor, quando assetato e lasso

Del vagar lungo e dell'estiva arsura

Io giovinetto ratteneva il passo

Tacito a contemplar l'onda tua pura?

Era quello l'april de' miei verdi anni,

Degli anni miei piú belli, che fuggiro

Su veloci del tempo invidi vanni,

Al modo stesso, che le dolci e chiare

Tue linfe, amabil rio, di giro in giro

Dal patrio colle van fuggendo al mare.

Per un amico parroco

(1851).

E tu pur, vòlto disdegnando il tergo

All'auree larve dell'età primiera,

Candido amico, in solitario albergo

Vai di tua vita a seppellir la sera?

Ingenuo ti conobbi: a' vili avverso,

Di cor gentile e di modesta brama,

Benché l'invidïata onda del verso

Pegno ti dèsse di superba fama.

O quanti mai, se il tuo possente ingegno

Avessero dal ciel sortito in dono,

Chiaro di sé nell'apollineo regno

Avrian levato ambizïoso suono!

Ma tu piú saggio, di ben far voglioso,

Non di parer, al santo officio intento,

Viver togliesti in erma villa ascoso,

Di conversar cogli umili contento.

Suona la squilla. Sulla via frequente,

Sparsa di fronde e di silvestri fiori

In adorno vestir esce la gente,
Parchi coloni e semplici pastori,

Che lungo il prato in bipartita schiera
Addensando si van, conce talvolta
In fondo all'orizzonte, che s'annera,
Nuvola sovra nuvola si affolta.

Ecco tu spunti fra l'ombrose piante
E di subito cessa ogni bisbiglio;
Con intento desío nel tuo sembiante
Ecco si affisa immobile ogni ciglio.

O quanti voti il popolo raccolto
Non forma in cor! quanti pensieri felici,
Mentre tu passi e con benigno volto
A' tuoi cari sorridi e benedici!

E te messo di Dio la madre addita
Venerabonda a' pargoletti figli,
Cui ne' duri cimenti della vita
Luce sarai d'esempi e di consigli.

Ma la pudica giovinetta, in petto
Accoglie altri pensier, mentre ti vede;

Previen co' voti il dí che benedetto
Per te fia l'amor suo dell'ara al piede.

Tutto è speranza a te d'intorno e festa.
Spera l'agricoltor che la tua mano
Terrà lunge il furor della tempesta,
Quando biondo ne' solchi ondeggia il grano;

Confida l'orfanel, se inopia il prema,
Di non battere indarno alle tue porte;
Se tu lo veglierai nell'ora estrema,
Spera men dura il vecchierel la morte.

O fortunato, che in sí dolci cure
Chiuderai de' tuoi giorni il cheto giro,
Finché ti resti sulle altrui sventure
Una lagrima sola, un sol sospiro!

Per la morte di Daniele Manin

AVVENUTA IN PARIGI IL 22 SETTEMBRE 1857

E PASSATA IN SILENZIO DAI GIORNALI AUSTRIACI

(1857).

Sovra le aeree

Guglie e sui Piombi

Lo bisbigliarono

Prima i colombi:

Entro la gondola

Nessun discese

E pur l'intese

Il battellier:

Trema, o stranier.

Di Calendario

Sovra la scala

Udissi il transito

Come d'un'ala;

La testa alzarono

E ne' sembianti

I due Giganti

Cupi si fêr:

Trema, o stranier.

Entro a' sarcofagi,

All'ombra in seno,

Desti favellano

Foscari e Zeno;

Libero ad ospite

Ancor nascosto

Lasciano un posto

Dell'origlier:

Trema, o stranier.

Freme Vinegia

E si risente

Al noto anelito

Dell'Orïente;

Vivido anelito

Vien di Crimea,

Alla galea

Noto sentier:

Trema, o stranier.

Della basilica

Ritti sugli archi

L'aurora attendono

I Patriarchi;

Al ciel le pàtere

Colme di pianti

Levano i Santi

Dal lor pilier:

Trema, o stranier.

Sotterra al Martire

Poser vicino

Bordone e sandalo

Di pellegrino.

L'aura d'Italia

Passa sulle ossa;

Della riscossa

Arde il pensier:

Trema, o stranier.

La Vigilia delle Nozze
(1861).

Eri gioiosa i dì passati. Amore
Ti spirava ardimento; e la speranza
Di vaghi sogni ti nudriva il core.

E ti parea che la materna stanza,
Ove crescevi colombetta ascosa,
Abbandonata avresti in esultanza,

Per venirtene all'ara e con la rosa
Nuzïal sulle chiome al tuo diletto
Giubilando la man porger di sposa.

Oggi non piú. Da discordante affetto
Tocca e sparsa di lagrime che ascondi,
L'ingenua faccia declinando al petto,

Tu siedi taciturna e ti confondi
Al pensier del domani, e de' tuoi cari
Sol con singhiozzi al salutar rispondi.

Piangi, fanciulla! Ad uom che i noti lari
Cangia con mobil pino e si periglia

Entro la scura immensità de' mari,

L'anima il primo dí non si scompiglia,
Come a modesta vergine, che tolta
Venga al segreto della sua famiglia,

Guarda al cheto stanzino, ove raccolta
Sera e mattino s'inginocchiava, orando
Fervida a Lei che gl'innocenti ascolta:

All'augellino, a' fior che a quando a quando
Di suo mano inaffiava; all'umil scranna
Su cui, l'ago o la penna esercitando,

Sedeva; e chiusa doglia il cor le affanna,
Or che deve lasciarli, e pensa e plora
Turbata e l'amor suo quasi condanna.

Addio, materni vezzi! Addio, dimora
Di pace e riso! Del perduto bene
Chi l'accorata vergine ristora?

Agar novella, per l'ardenti arene
Move di päuroso eremo e porta
In urna suggellata, unica spene,

Dello sposo l'amor. Che se un dí morta

Le sia nel core questa fè, se senta

D'esser sola quaggiù, chi la conforta?

Cosi vien che piú spesso il cor si penta

Che piú facile amò! Ma la natía

Soglia, o gentil, tu puoi lasciar contenta.

Quella casa t'è nota, a cui per via

L'occhio levavi incerto e verecondo:

Amor colà t'attende e cortesia.

Questo suol piú fiorito, e piú giocondo

Questo ciel ti parrà; con lui che adori

Per te fia vòlto in un elisio il mondo.

Felice ti sapea, di miti amori

Paga, a' soavi tuoi fratelli appresso,

Quel giorno ch'ei t'ha chiesta a' genitori.

Se sua ti fe', se dal beato amplesso

Ti divise de' tuoi, non men ridente,

Credi, la vita ti sarà con esso;

Ché magnanimo petto amor non mente.

Sopra una conchiglia fossile

nel mio studio

(1864).

Sul chiuso quaderno

Di vati famosi,

Dal musco materno

Lontana riposi,

Riposi marmorea,

Dell'onde già figlia,

Ritorta conchiglia.

Occulta nel fondo

D'un antro marino

Del giovane mondo

Vedesti il mattino;

Vagavi co' nautili,

Co' murici a schiera;

E l'uomo non era.

Per quanta vicenda,

Di lente stagioni,

Arcana leggenda

D'immani tenzoni

Impresse volubile

Sul niveo tuo dorso
De' secoli il corso!

Noi siamo di ieri;
Dell'Indo pur ora
Sui taciti imperi
Splendeva l'aurora;
Pur ora del Tevere
A' lidi tendea
La vela di Enea.

È fresca la polve
Che il fasto caduto
De' Cesari involve.
Si crede canuto
Appena all'Artefice
Uscito di mano
Il genere umano:

Tu, prima che desta
All'aure feconde
Italia la testa
Levasse dall'onde,
Tu, suora de' polipi,
De' rosei coralli

Pascevi le valli.

Riflesso nel seno

De' ceruli piani

Ardeva il baleno

Di cento vulcani:

Le dighe squarciavano

Di pelaghi ignoti

Rubesti tremoti.

Nell'imo de' laghi

Le palme sepolte;

Nel sasso de' draghi

Le spire rinvolte,

E l'orme ne parlano

De' profughi cigni

Sugli ardui macigni.

Pur baldo di speme

L'uom, ultimo giunto,

Le ceneri preme

D'un mondo defunto:

Incalza di secoli

Non anco maturi

I fulgidi augùri.

Sui tumuli il piede,

Ne' Cieli lo sguardo,

All'ombra procede

Di santo stendardo:

Per golfi reconditi,

Per vergini lande

Ardente si spande.

T'avanza, t'avanza,

Divino straniero;

Conosci la stanza

Che i fati ti diêro:

Se schiavi, se lagrime

Ancora rinserra,

È giovin la terra.

Eccelsa, segreta

Nel buio degli anni

Dio pose la mèta

De' nobili affanni.

Con brando e con fiaccola

Sull'erta fatale

Ascendi, mortale!

Poi quando disceso

Sui mari redenti

Lo Spirito atteso

Ripurghi le genti,

E splenda de' liberi

Un solo vessillo

Sul mondo tranquillo;

Compiute le sorti,

Allora de' cieli.

Ne' lucidi porti

La terra si celi:

Attenda sull'àncora

Il cenno divino

Per novo cammino.

La Veglia

(1864).

Rugge notturno il vento

Fra l'ardue spire del camino e cala

Del tizzo semispento

L'ultima fiamma ad agitar coll'ala.

La tremebonda vampa,

In fantastica danza i fluttuanti

Sedili aggira, e stampa

Sull'opposta parete ombre giganti.

Tacito io siedo; e quale

Nel buio fondo di muscosa roccia

Lenta, sonante, uguale

Batte sul cavo porfido una goccia;

Tal con assiduo suono

Dall'oscillante pendolo il minuto

Scendere ascolto, e prono

Nell'abisso del tempo andar perduto.

Più liete voci in questa

Stanza fanciullo udía, quando nel verno

Erami immensa festa

Cinger cogli altri il focolar paterno.

Morte per sempre ha chiusi

Gli amati labbri. Ma tu già non taci,

Bronzo fedel, che accusi

Col tuo squillo immortal l'ore fugaci,

E notte e dí rammenti,

Che se al sonno mal vigili la testa

Inchinano i viventi,

L'universo non dorme e non si arresta.

Che son? che fui? Pel clivo

Della vita discendo, e parmi un'ora

Che garzoncel furtivo

Correa sui monti a prevenir l'aurora.

Giovani ancor del bosco,

Nato con me, verdeggiano le chiome;

Ma piú non riconosco

Di me, cangiata larva, altro che il nome.

Precipitoso io varco

Di lustro in lustro: della vecchia creta

Da sé scotendo il carco

Lo spirto avido anela alla sua mèta.

Non io, non io, se l'alma

Da' suoi nodi si sferra, e si sublima,

Lamenterò la salma,

Che sente degl'infesti anni la lima.

Indocile sospira

A piú perfetta vita, e senza posa

Sale per lunga spira

Al suo merigge ogni creata cosa.

In fior si volge il germe,

In frutto il fiore: dalla cava pianta

Esce ronzando il verme

Che april di vellutate iridi ammanta.

Non quale la rischiari

Da' tuoi remoti padiglioni, o Sole,

Era di terre e mari

Opaca un dí questa rotante mole;

Ma di disciolte lave

E di zolfi rovente e di metalli,

Come infocata nave,

L'erta ascendeva de' celesti calli.

Fûro i graniti, e fûro

I regni delle felci: a mano a mano

Il seggio piú sicuro

Fêro gli spenti mostri al seme umano.

Strugge le sue fatiche

Non mai paga natura, e dal profondo

Di sue ruine antiche

Volve indefessa a dí piú belli il mondo.

Cadrò: ma con le chiavi

D'un avvenir meraviglioso. Il nulla

A piú veggenti savi:

Io nella tomba troverò la culla.

Co' pesci in mar ricetto

Già non ebbero i miei progenitori;

Né preser d'uomo aspetto

Per le foche passando e pe' castori,

Per dotte vie non corsi

Le belve ad abbracciar come sorelle;

Ma co' fanciulli io scòrsi

Una patria superba oltre le stelle.

Or dall'ambite cene

De' congeneri uranghi il piè torcendo,

Io verso le serene

Plaghe dell'alba la montagna ascendo.

Odo presaghi suoni

Trascorrere pel ciel: dall'Orïente

Divine visioni.

Fannosi incontro all'infiammata mente,

Più dolci della brezza

Fragrante, che dall'ultimo orizzonte

Di virginal carezza,

A Colombo blandía la scarna fronte.

O di futuri elisi

Intimi lampi e desiderî immensi,

Dal secolo derisi

Che a moribondo nume arde gl'incensi,

Chiudetevi nel canto

Del solingo poeta, e men doglioso

Fate a' congiunti il pianto

Che il sasso scalderà del suo riposo.

Il Lavoro

(1865).

Nell'ora che roseo

Il cielo raggiorna,

L'artiere sollecito

All'opra ritorna:

Il mantice soffia;

L'incude sonora

A' torpidi annunzia

Ch'è sorta l'aurora.

Ne' germi s'insinua

La luce feconda;

S'imporpora il grappolo,

La spiga s'imbionda;

Di pronuba polvere

S'impregnano i venti;

Natura il convivio

Prepara a' viventi.

Del raggio vivifico

Industre rivale

La rude materia
Trasforma il mortale;

La mano che docile
Consente all'idea,
Seconda ne' secoli
La man di Chi crea.

All'astro che il rovere
Indura sul monte,
Compagni nell'opera
Leviamo la fronte;

All'astro benefico
Che passa sotterra
E dentro al topazio
Il raggio rinserra.

A' colpi arrendevole
Del nostro martello
La rigida lamina
Si torce in anello:

Tagliata nell'acero
Sorride la rosa

Serpeggia nel porfido

La vite frondosa.

Compagni! Spontanei

Voliamo al lavoro:

Il tempo precipita,

Il tempo è tesoro;

Tesoro che d'ozio

Lo spirito affranca,

S'addoppia a' magnanimi,

Usato non manca.

I colpi rimbombino:

La vita, com'onda

Battuta dal turbine,

Più fervida abbonda;

Se taccia l'incudine,

Se taccia la sega,

Il campo rinselvasi

E pane ci nega.

Fuggiasco da' margini

Del verde Missuri,

Da' boschi, ove suonano

D'Europa le scuri,

Più degna progenie

Nel patrio retaggio

Contempla succedere

L'ignaro selvaggio.

Con tumidi aneliti

Con ala di drago

Rompendo la cerula

Quïete del lago,

Ascendere orribile

Con folgori e tuoni

Contempla il navigio

De' Bianchi coloni.

Dell'arco, che agli omeri

Costante gli pende,

Superbo col vomere

La terra non fende;

Non tonde la pecora,

Non getta la spola;

Da' campi, che il videro
Già sire, s'invola.

All'aure che corrono
Frattanto l'Irlanda,
Di rustici un popolo
Che pane dimanda,

La vela discioglie,
Che a' fertili piani
Lo porta nell'isole
D'ignoti oceàni.

Piangendo si tolsero
All'ermo abituro:
Nel core la patria,
Negli occhi il futuro,

Pensosi nell'ansia
D'un vivere incerto,
Dell'acque traversano
L'immenso deserto.

Conforto ed auspicio
Ne' pavidi esigli

L'antico vicario

S'asside co' figli,

E dice: «Chi colloca

In Dio la sua speme,

Di sorte contraria

Assalto non teme.

Se sterpasi il larice

Dall'alpi native,

A soli piú tepidi

Traslato non vive;

Ma sotto ogni volgere

Di cielo, i natali

Alberghi ritrovano

Gli erranti mortali.

Pel suolo che in lacrime

Ariamo a' tiranni

Che il dritto ci usurpano

Alteri Britanni;

Per l'aere di nebbia

Stillante; pel guasto

D'ignobili tuberi
Miserrimo pasto,

Beate ne attendono
Apriche contrade
Fiorenti di pascoli,
Opime di biade.

I fiumi che cadono
Dall'alte pendici,
Il turbine aspettano
De' nostri opifici.

Di limpidi oceani
Dal cheto cristallo
Le selve purpuree
Solleva il corallo,

Che provvido agli esuli
D'un mondo che invecchia,
A' giovani popoli
Le sedi apparecchia.

Possenti d'industrie
Sui fiumi remoti

Comporsi in repubbliche
Io veggo i nepoti;

Che grandi, pur memori
Del nordico nido
Che i padri lasciarono,
Discendono al lido.

Gioiosi risolcano
La ricca marina,
A' bruni tugurii
Pensando d'Erina;

E prodighi il carico
Degli aurei vascelli
Nel porto dividono
Co' vecchi fratelli.»

Egoismo e carità

(1865).

Odio l'allòr che, quando alla foresta

Le novissime fronde invola il verno,

Ravviluppato nell'intatta vesta

Verdeggia eterno.

Pompa de' colli; ma la sua verzura

Gioia, non reca all'augellin digiuno;

Ché la splendida bacca invan matura

Non coglie alcuno.

Te, poverella vite, amo, che quando

Fiedon le nevi i prossimi arboscelli,

Tenera, l'altrui duol commiserando,

Sciogli i capelli.

Tu piangi, derelitta, a capo chino,

Sulla ventosa balza. In chiuso loco

Gaio frattanto il vecchierel vicino

Si asside al foco.

Tien colmo un nappo: il tuo licor gli cade

Nell'ondeggiar del cubito sul mento;

Poscia, floridi paschi ed auree biade

Sogna contento.

Il taglio dell'istmo di Suez

(1866).

Nella terra del Sol, donde fanciulla

Uscia l'umana schiatta a' lunghi esigli,

Tornan giganti a riveder la culla

Gli sparsi figli:

Tornano d'arti e di scïenze adulti

A' favolosi regni, ove pe' fiumi

D'azzurro fior. nella corolla occulti

Scendono i numi.

Batte alle porte de' sopiti imperi

Mattutina l'Europa: il desto Egitto

Per l'alte sabbie agevole a' nocchieri

Apre tragitto.

Un'altra, volta Iddio sull'Eritreo

Guida i popoli suoi; non come quando

Scampò pe' flutti il fuggitivo Ebreo

Dal regio brando;

Ma sulle prue pacifiche seduto

Che ghirlandate d'innocenti allori

Portano all'opulento Indo tributo

D'arti migliori.

O sepolto in tue caste, e del tuo rito

Popol tenace, che ad antichi mostri

Giganteggianti in eternal granito

Muto ti. prostri,

Teco noi fummo una famiglia. Erranti

Appiè dell'Imalaia l'idïoma

Teco parlammo, che passò ne' canti

D'Atene e Roma.

Poi col Sol divisando il nostro calle,

Noi partimmo le tende. Al mezzogiorno

Tu scendesti, e d'òr lieta immensa valle

Fu tuo soggiorno.

Fiero scendesti; e di lïoni alati

E d'elefanti, eroico pellegrino,

I porfidi lasciasti effigiati

Nel tuo cammino.

Ma di blandi riposi il clima amico,

Le olenti selve e la spontanea mèsse

Franser tua possa: all'ardimento antico
Ozio successe.

Noi futuri del mondo agitatori
All'occàso movemmo. Il cielo avverso,
E sterile il terren, se di sudori
Pria non asperso,

Destâr l'insita fiamma. Alla natura
Noi contendemmo il päuroso regno;
E bello di costanza e di sventura
Fulse l'ingegno.

Austera dea, necessità le menti
Di vero in ver per ardua via, sospinse:
Co' facili commerci in un le genti
Il mare avvinse.

Sursero imperi e disparir: coverse
Barbara notte i rai d'ogni dottrina;
Ma civiltà rifolgorando emerse
Dalla ruina.

Or lieta della Fé, che in un amplesso
I suoi possenti popoli comprende,

Verso il cheto splendor d'un dí promesso

Europa ascende.

Vieni a vederla! Assisa in sulle soglie

Dell'Orïente e di superbe sorti

Italia consapevole t'accoglie

Entro a' suoi porti.

Rugge dell'Adria il sollevato flutto

Al passar della prora ardimentosa;

E l'anel, che celò fido nel lutto,

Rende alla sposa.

Vieni! Dell'aureo Gange i nomi apporta

Al severo Occidente, e gli estri antichi

In noi con la gagliarda aura conforta

Del tuo Valmichi.

Noi di compasso armati e di quadrante

A' tuoi lidi verremo; e fia l'oltraggio

Ulto del vero e le catene infrante

Del tuo servaggio,

Quando sotto le palme e fra gli amomi

Noi moveremo insieme ed alla folta

Ombra odorata insegneremo i nomi

D'Humboldt e Volta.

Gli ospizi marini

(1869).

All'onda, che blanda

Gli mormora al piede,

Disutil ghirlanda

Di perle non chiede;

Non chiede di porpore

Inane tributo

Il bimbo sparuto.

Sul mare, che freme

Tra lidi remoti

Esulta la speme

D'audaci piloti;

Da lungi riportano

Profumi e diamanti

Avari mercanti.

Di bende straniere,

Di gemme e coralli

Incedono altere

Le vergini a' balli;

D'estranie delizie

Odora la vesta

Che il fasto calpesta.

Ma questi tapini
Che, quando la brezza
De' rosei mattini
I prati carezza,
Sedersi decrepiti
Sull'uscio rimira
La madre e sospira;

Di fasce cruente
Il collo ravvolti;
Progenie dolente
Da' tumidi volti,
Che, tocche del vivere
Appena le porte,
Artiglia la morte;

Al flutto, che blando
Asperge le rive,
Commetton tremando
Le membra mal vive;
All'onde dal gracile
Lor piede battute
Domandan salute.

Si mesce co' venti;

Perenne, fecondo

Per l'ampie correnti

Che fasciano il mondo,

Si volve lo spirito

Che innova il creato

Col pronubo fiato.

Dagli antri sonori

Che il musco riveste,

Tra viscidi fiori

E frali foreste,

Si vibra, si turbina,

Anela all'uscita

Gigante la vite.

Noi, pallide schiatte

Che affanna il pensiero,

Che assidua combatte

La sete del vero,

Noi frante nell'ansia

D'eccelse riscosse

Abbiamo le posse.

Varchiamo con foco

Deserti e procelle;

Pesiamo per gioco

I mari. e le stelle;

Più rade del folgore

Gli spazi trasvola

La nostra parola;

Ma sotto gli allori

Che velan la fronte,

D'edaci malori

Traspaion l'impronte;

Con mani, che tremano

Stringiamo il bicchiere

Che ha colmo il piacere.

Tu, mare, disserra

Il grembo materno;

Tu svecchia, la terra,

Tu, giovane eterno;

Sommergi, ritempera

Nell'onde lustrali

Le razze mortali.

Dal fondo ruggendo,

O mare, sovente

Con vortice orrendo

Opprimi la gente,

Che credula al placido

Tuo volto mal fido

Discioglie dal lido.

Pel guardo, che còlti

Ne' gorghi crudeli

Que' vivi sepolti

Rivolgono a' cieli;

Pe' lerci cadaveri

Che a' lidi piangenti

Orribile avventi;

All'egro drappello

Che mite t'implora,

Di sangue novello

Le membra ristora;

Gioiose si affisino

Ne' volti leggiadri

Le attonite madri.

Per l'albo d'una cieca
(1870).

Vorrei dirti infelice,
Vergine pellegrina,
A cui mirar non lice
Questa pompa divina
Di forme e di colori
Che inebria i nostri cori.

Ahimè! sotto la neve
Passa del Sole il raggio
E di porpora imbeve
Il fiorellin selvaggio;
Chiude la sua scintilla
Nel crisolito e brilla.

Ne' cupi alvei marini
Il vivifico sguardo
Sentono i gravi echini;
Si divincola il tardo
Polipo al tenue
Che attraversa le spume.

E tu dovrai giacerti

Nel tuo dolor sepolta,

E per vacui deserti

Mover di buio avvolta,

Tu che il Sol dalla culla

Pur vedesti, o fanciulla?

Quando ferma all'accento

D'augellino che piaghe,

O dell'aure al lamento

Per fiorite campagne,

Sostar sembri alla scura

Soglia della natura;

Vorrei dirti infelice,

Vergine pellegrina,

A cui mirar non lice

Questa pompa divina

Di forme e di colori

che inebria i nostri cori.

Ma se ti miro in volto

Del core arder gli affetti,

E la dolcezza ascolto

De' tuoi semplici detti,

Che d'arguti lepori

Dissimulando infiori;

A che segreto aprile,

A che nascosti Soli,

Dico, il color gentile,

O giovinetta, involi?

Di che piú care stelle

Le tue notti son belle?

Tal dell'antico Greco

Favoleggiò la musa,

Che nel profondo spèco

La Nereide rinchiusa

Dal mar gemme traea

E l'Olimpo vedea.

E tu, se con la mano

L'opposto ètera tenti,

Di mirabile arcano

Circonfusa ti senti,

E respiri dal lito

L'aure dell'infinito.

Dicevi un giorno (e pio

Le celesti parole

Raccolse il cor): «Se Iddio

Or mi diniega il Sole;

Se di bei studî orbata

Varca la mia giornata;

D'iraconde querele

Non vibrerò gli strali;

Né chiamerò crudele

L'autore de' miei mali.

Tenera, appena uscita

All'aure della vita,

In che peccai bambina?

Qual legge o rito offesi,

Perché l'ira divina

Sovra il capo mi pesi?

O piuttosto non cela

A noi Dio la sua tela?

Per notte aspra di guai

A maggior ben ne adduce,

Ove d'eterni rai

Vedrò rider la luce.

Non è ver che sotterra

Anche il grano si serra?

Che lo spino par cosa

Nel verno orrida e morta,

Ed in april la rosa

Sul capo ispido porta?

Tal io paga sedendo

La mia stagione attendo».

Vergine! E non sei sola,

Cui tanto bene alletti.

Natura a tutti invola

Suoi veri intimi aspetti,

E geme l'universo

Di dura notte immerso.

Di questa fuga eterna,

Onde per cerchio immenso

Morte a vita si alterna,

Quanto comprende il senso?

Non siam noi che all'ignoto

Porgiam colore e moto?

Veggenti e non veggenti

Unica notte involve;

E d'altri firmamenti

Esce l'alba, che solve

Del creato il mistero

E ci posa nel vero.

Settembre 1870.

Giammai d'àrbori, d'acque,

Di silenzio, d'obblío,

Più profondo desío

Nel core non mi nacque;

Né mai sí fiera, intensa

Mi stimolò la cura,

Di mescermi all'immensa

Vita della natura.

Vorrei cangiar di spoglia:

Questa maschera umana

Vorrei gittar lontana.

Oh, s'io fossi la foglia

Che contro il sol protende

Il suo picciolo schermo

E dall'ardor difende

Il fiorellino infermo!

Quando nel tuo sembiante

Io mi affiso, o mortale,

Un'angoscia m'assale

Che mi rattien tremante.

Del divin dito appena

Vi discerno piú l'orme,

Ma lampeggiar la ïena

Vi rimiro che dorme.

Sognai. Vedea natura.

Per florido sentiero

Movere incontro al vero

Umanità secura.

Sognai spenta ogni lite

D'oppressi e d'oppressori;

E le alterne ferite

Chiudere età migliori.

Con mille lauri al crine

Chimica e le sorelle

Vedea, possenti ancelle,

Scender nelle officine;

E ne' porti tranquilli,

D'ignote merci opimi,

I fratelli vessilli

Pender d'opposti climi.

Vedea presso la cuna

Del poverello, accanto

Dell'operaio affranto

Dall'irosa fortuna;

Ovunque un bieco appare

O supplichevol viso,

Come presso un altare

Amor Fraterno assiso...

Qui, dove stommi, è pace

Meridïana: al fosco

Rezzo del vicin bosco

L'augel ripara e tace.

Nel campo, ove il marito

Dall'alba ara o raccoglie,

Siede al breve convito

Co' pargoli la moglie.

Io guardo e gemo. Oh quanto

Correr di sangue altrove!

Di quante spose piove,

Di quanti orfani il pianto!

La speme de' coloni

Col fumo al ciel si volve;

E le vaste magioni

Dell'industria son polve...

Domenico

o le memorie della fanciullezza

(1871).

I

Avea grigia la chioma, e scintillante

Sotto l'irsuto sopracciglio il guardo:

Avea brune le guance e d'onorata

Cicatrice sul mento il solco impresso.

Or d'armaiuolo nel paterno borgo

Officina tenea: ma le bandiere

Di Buonaparte avea seguite un giorno,

E co' fanti di Pino in Catalogna

Ed in Navarra combattuto. Indarno

Altre madri piú lustri avean de' figli

Aspettato il ritorno. Io le rammento

Le dolorose. A me, che fanciulletto

Alla scola movea, facean carezze,

E nel pensier vedean quei che del Tago

Già le sabbie coprivano, o le nevi

De' rutèni deserti. Al suo villaggio

Domenico tornato era inatteso

E non veduto una piovosa notte

Di decembre. Era l'anno, in cui prostrata

Parve di Lipsia sui cruenti campi

La fortuna di Francia. I veterani

Dall'Ebro al Volga guerreggianti eroi

Delle patrie frontiere alla difesa

Accorrean frettolosi e li chiamava,

Colle folgori al piè, Napoleone.

Immantinente abbandonâr Castiglia

Ed Aragona le franche falangi,

Cui sicura la via de' Pirenei

Fêan, sostando e pugnando al retroguardo,

Fide al vessillo e del mortale incarco

Orgogliose, l'italiche coorti.

Sulle rive del Rodano gli amplessi

Ultimi fûro e gli ultimi saluti

De' valorosi. A' dirupati varchi

Gl'Itali si drizzâr della Savoia

E, disciolte le file, in piú drappelli

Lungo il pian della Dora e dell'Olona

Oltre l'Adda, oltre il Mincio a' propri alberghi

Dileguâro. Già tutti avea per via,

Di pieve in pieve, i suoi commilitoni

Domenico lasciati che, soletto,

D'una notte al cader, sotto un nevischio,

Che l'ascondea de' curïosi al guardo,

Verso il borgo natío l'orme affrettava.

Di sua casetta s'arrestò tremando

Ed origliando al limitar. Stridea

Il filatoio che, vicina al foco,

Col piè volgea la madre poveretta;

E pe' fessi dell'uscio il picciol lume,

Ch'era alla cappa del camin sospeso,

Traluceva. Picchiò. La nota voce,

Come guizzo di folgore, i ginocchi

Disciolse a quella pia, che a stento accorse

E di pianto grondante e di sudore

Quel bello unico suo si strinse al seno.

Vecchie gioie ricordo e vecchi affanni

D'ignorati mortali. Alla sua sega,

Al suo scalpel Domenico tornava

Dopo le pugne trïonfali oscuro;

Né sapea che il suo sangue in tante guerre

Sparso per Francia maturava il lauro

Dell'itala grandezza. I fieri avanzi

Dell'iberiche pugne e del Cosacco

Primi la santa tricolor bandiera

Innalzar sul Sebeto e sul Ticino

Vide il Ventuno: e le canute fronti

Dagli eroici tuoi spaldi, o mia Vicenza,

Fulminar lo sgomento; e le Lagune

Contendere feroci allo straniero,

Noi stessi in men remoti anni vedemmo.

Dal giorno, che tornò, quindici volte

Domenico fiorir nell'orticello

Avea visto i gherofani, di Spagna

Innocente ricordo. Io l'anno ottavo

Varcava allora, e benché d'ombra avvolta,

Onnipossente la natura al core

Favellavami. Errar lungo le rive

De' montani ruscelli, e le spelonche

Penetrar trepidando, ove nel sasso

Sculti i vestigi delle fate addita

Rusticana leggenda: a primavera

Di prato in prato la beffarda nota

Del cuculo seguir, che sempre udito

E non mai visto, mille volte al cielo,

Alle piante, a' cespugli, alla fontana

Torcer gli occhi mi fêa: sulle assicelle

Dondolarmi del ponte, e dal molino

Sbucar bianco di crusca abito e chioma,

Fu la corta, festevole odissea

Della mia fanciullezza. I tuoi lavori

Tu pur talvolta interrompendo, a' campi,

O Domenico, uscivi; e guiderdone

Io mai non ebbi piú giocondo in terra,

Che venirne con te. D'austero piglio

Naturalmente e di recisi modi,

Come a guerresca disciplina avvezzo

E ne' stenti cresciuto, eri benigno

E grazïoso a' deboli. D'autunno,

L'archibugio alla spalla, innanzi giorno,

Salivi alla foresta; ed io che insonne

Scorsa gran parte della notte avea,

Sotto il balcon la tua chiamata intesa,

Precipitando discendea. Le stelle

Rugiadose brillavano: lo strido

Della gru, che varcava all'Orïente

Pel rotto aere cadea: la finestrella

Apriva il montanaro e, sporto il capo,

Guatava il giorno ancor profondo. Intanto

Tu lo scabro sentier m'agevolavi

Le tue storie narrando: or delle Sierre

Le terribili gole e de' moschetti

Dietro ogni scoglio ed ogni pianta occulti

L'inopinato fulminar pingevi;

Or per le lande di Castiglia aduste

Le marce polverose e de' conventi

Nelle cantine dilagate i prandî

E le incondite danze. Alteri fatti

Di Villata di Lechi e Palombini

Poi t'udía ricordar: quando il repente

Ne' roveti fruscío della beccaccia

Levata a voi, l'omerico racconto

Troncava. Chiara si facea già l'aria;

E dalle valli, ancor nel buio, un rombo

Ascendea di campane: a mezza costa

Coll'aspra voce l'arator garriva

I buoi protesi: sovra i neri solchi

E sotto i rami di vermiglie poma

All'incarco cedevoli, opulento

Odorava l'autunno. Il sommo giogo

Ad un punto col Sole io guadagnava;

E di là le Lessinie alpi rossastre

A manca mano: e alla diritta immenso,

Di città seminato e di villaggi,

Il pian vedea distendersi. Sul lembo

Dell'estremo orizzonte, in mobil cuna

Imporporata dal nascente raggio

E distinta di cupole e di torri,

Venezia mi additava il mio Strabone;

Che alzando il ciglio e del fucil la canna

Fieramente stringendo, in altra parte

Arcole mi mostrava e le paludi

Lagrimose al Tedesco. Io gli chiedea

Ove fosse la Francia; ed ei la mano

Levando verso il Sol, trinciava un arco

Verso Ponente e si fêa muto. Assorto

Io rimirava; e quel che allor sognai,

È luminosa visïon che sorge

Dal grembo della notte e la mia vita

Del fresco raggio antelucan colora.

II

Pensoso passeggiai le vie deserte

Di venuste città. Mirando i sassi

Rósi da tanto secolo; mirando

Fra le vacue basiliche e le torri

Brucar l'erbe la capra, una tristezza

Vaga mi assalse, e tenni a forza il pianto.

Ma dal profondo sospirai, né gli occhi

Senza lagrime fûr, quando i miei tetti

Risalutando dopo lunghi soli,

La tua casetta piú non vidi e l'orto

Col noto melagratio, o già sepolto

Mio custode e compagno. Una parete

Affumicata, che reggea de' venti

Pur anco all'urto, ne segnava il sito.

O gioconde memorie, a cui non resta

Altra dimora, che il mio petto! O giorni

Che un'altra volta lagrimai perduti,

Quando vidi scomparso il dolce ostello,

Ove sereni mi splendeste! Ancora

La stanza io veggo ed il balcon che dava

Sulla pubblica via: la restrelliera

Appesa al muro e le lucenti canne

In Val Sabbia temprate ed in Val Trompia;

E succhielli e tenaglie e seghe e fusti

Riquadrati di noce. Innanzi agli occhi

Ancor mi sta l'incorniciata stampa

D'irrüenti cavalli e di falangi

A bizzarri color tutta dipinta,

Sotto cui di Marengo io sillabai

Sí spesso il nome. Ancor sull'impennato

Corridor veggo il gran Guerrier securo

Guatar la pugna ancipite. Pendea

Dalle travi chiazzate il zaino antico

Già traforato da nemico piombo,

E nell'angolo opposto una fiscella,

Onde covante colombetta il niveo

Capo mostrava. O ne' noiosi inverni

Vespertino convegno! o testimoni

D'innocuo riso e di prolissa ciarla

Zoppicanti sedili! Il buon pievano,

Dopo il dí spento in evangeliche opre,

Venir ivi solea: venían con lui

Del villaggio il maestro, ed un di piogge,

Di siccità, di brine e di gragnuole

Mirabile indovin, che del bucato

Leggeva i tempi nella Luna. Un foco

Ilare ardea nella contigua stanza,

E bollía gorgogliando il pentolino

Col cavolo frugal, che vi cocea

La madre vecchiarella. Ad altro affetto

Chiuso mantenne il buon soldato il core,

Né la sua casa consolò di nozze;

Ché gli orribili scempî e di lattanti

E di pregnanti gl'inumani eccidi

Visti da lui nell'espugnate terre,

Gli avean spento nell'alma ogni desío

Di procrear mancipî alla fortuna

E vittime a' tiranni. Oscura nube

Tratto tratto però velava i solchi

Del suo volto guerrier. Favellatore

Arguto era del resto; e la parola,

Colorava cosí, che i vivi eventi

T'erano innanzi. Un Marco Tullio, un Livio

Lo diceva il maestro, anzi un Tornielli,

Un padre da Foiano; e si dolea

Di non essere il Tasso o l'Arïosto

Per cantar quelle guerre. E la tua faccia

Veracemente ardea: piena dal labbro

Onda d'eloquio ti precipitava,

O Domenico, sia che l'insorgenti

Di Murcia descrivessi armate bande,

E le statue de' Santi, in bellicoso

Abito adorne, l'alabarda in pugno,

Capitanar gli eserciti; o di Mina

L'imboscate narrassi e di Campillo,

E confitti alle porte e trapassati

Da fanatiche palle Itali e Franchi.

Poi la furia veniva e la tempesta

Punitrice, d'acciar romoreggiante,

De' criniti dragoni, a cui d'Achille

In sembianza e d'Achille al par fatato

Precorreva Schiassetti; e de' fuggenti

Le caterve mietute; e le campagne

Sgombre dall'Ebro a' Pirenei. Narravi

Gli apparecchi, gli assalti e la ruina

Delle dome città: dense le vie

D'accalcati tremanti; ed in quel pieno

Ignea tempesta folgorar le morti

A migliaia. Dai tetti uscian di preda

L'omero onusti; uscían da' vïolati

Asili del Signor recando in braccio

Le tramortite suore i furibondi,

Che di gemmati pivïali e stole

Camuffati trescavano pe' fòri

Sdrucciolando nel sangue, e le cataste

In tronchi busti e mozzi capi orrende

Sgominavano. Quante in un sol giorno

Case disfatte! Quante vecchie stirpi,

Di cui solo rimase un orfanello,

Che la tarda pietà de' vincitori,

Già de' suoi tetti e de' suoi padri ignaro,

Nelle tende raccolse e come figlio

Dell'esercito crebbe! Interrompea

Qui Domenico il dir, l'involontario

Pianto col dosso della man tergendo;

Ma quell'ardente di brinate e piogge

Conoscitor lunatico, ch'io dissi,

Non temprava gli sdegni; e d'Inghilterra

Maledicendo alle arti infide e all'oro

Che avean posta la Spagna in tanti guai,

Vaticinava d'Albïon l'occaso,

Di non so quale pescatrice ignuda

E di non sa qual amo, alteri versi

Declamando. Piangea gli umani casi

Il buon pievano invece; all'officina

Tante braccia strappate ed alla marra,

Per l'orgoglio di un sol: genti sorelle

Di sangue e fè tratte a svenarsi: il dritto

Degl'inermi calpesto; e sospirando

Dicea: «Figliuoli, io nol vedrò: le forze

Già stenüate e questa chioma altrove

La mia stanza designano. Né voi

Forse il vedrete, e tacito matura

A' lontani nepoti il lieto evento;

Ma la cruda ragion del piú robusto

Cader vedrassi: le ravviste genti

Strette in unico patto, e per le piagge

Rinnovellate della bella Europa

L'aura diffusa del divino Amore».

Altre cose parlava il mansüeto

Uom del Signor ch'ei non mirò. D'Alberto

E di Vittorio le brandite spade,

Gli animi eguali e le diverse sorti

Ei non vedea: dell'italo riscatto

L'ora il trovava già sotterra. Il sasso

E le pie zolle io visitai che il capo

Venerato nascondono. Una croce

Poco lungi da lui la fossa addita

Di Domenico. Oh quante ombre di giorni

Avventurosi mi assaliro! Oh quante

Nel recinto di morte io ritrovai

Ore di vita! Per le guance il pianto

Mi discendea; ma d'ineffabil dolce

Temprato. Lieto ripeteami il core

Che de' convegni e de' sermoni amici

Chiusa per sempre la stagion non era;

Ma che da noi di gioventù rifatti,

Di sembianze e d'amor sarian ripresi,

Ove più tronchi non li avrebbe il tempo.

Un mattino d'inverno sui colli Berici
(1872).

Vittorïoso il sol spezza le nebbie,

Che, sgominate, in lieve

Falange si dileguano

Dietro le selve ancor vacue di neve;

E paiono velate monacelle

Che in lenta fila tornino alle celle.

Laggiù nella pianura escon, dal candido

Mar, palagi e tuguri;

Ritti, come fantasime,

Giganteggian dell'alpe i coni oscuri

In lontananza; e luccica, ad imago

D'argentea benda, appiè de' boschi, il lago.

Tutti gli augelli o valicâr l'oceano

O, nelle grotte occulti,

Il grigio ciel sogguardano;

Tu sol, crollando la brina, a' virgulti,

Saltelli, o re delle siepi piccino,

E conforti di canto il mio cammino.

Picciolo alato, alla natura in lagrime

Fedel solo rimasto!

Cosí le spalle volgere

Suole sovente alla sventura il fasto;

E nel tetto dei ricchi, or senza pane,

Ultimo amico il povero rimane.

A un cespo di rose in Napoli

(1878).

Dal marmoreo verone, ove ti pose

Di gentil giovinetta accorta mano,

L'aure profumi, o tolto al suburbano

Portici tuo, bel cespite di rose;

E la marina, che lo rupi abbraccia,

Ubertoso d'aranci, e l'arso monte

Abbominato ti rimiri a fronte,

Che l'obblïosa, Napoli minaccia.

Cruda matrigna, che dell'uom non cura.

Le minute prosapie, e fato arcano

Contro cui d'arte e di possanza è vano

Ogni argomento, io non dirò natura,

Che te, rosa gentile, e tanta luce

Varia d'oro e di azzurro, e questa zona.

De' colli, alle cui falde il Tirren suona,

E queste notti e questo Sol produce.

Nudo non già, né vedovo di forza,

Appena il foco elementar ne' chiostri

Intimi scese, e d'ardui steli e mostri

Si popolò questa terrestre scorza,

L'uomo uscí ne' suoi regni; e se l'artiglio

Del falco e del leone a lui contese

Provvido nume, nel pensier gli accese

Raggio d'antiveggenza e di consiglio,

Ond'egli armato e dall'esempio altrui

Fatto piú saggio, nove leggi indice

Alla vetusta delle cose altrice

Che, qual doma beltà, si arrende a lui.

Degno d'imperi non sarà chi nato

In molli coltri e ne' trastulli ignari

Di regal tetto adulto ebbe degli avi

Quello, in cui si pompeggia, eccelso stato,

Ma chi col senno e con la man dall'ima

Condizïon, dove il premea la sorte,

Per le cresciute avversità piú forte

Raccoglie il piè su glorïosa cima.

Larva non è di fantolin che sogna,

Ma, di patria miglior grido materno,

L'alta speme, onde l'uom si sente eterno

E sovra il Sole una dimora agogna;

E virtù che a' codardi ozî lo fura;

Virtù che per sudata erta lo sprona

A non venali palme; e cor gli dona

Incrollabile a' colpi di sventura.

Cantor della Ginestra! E meno infermo

E piú saggio dell'uom, l'umile arbusto

A te pareva, che sul fianco adusto

Del tonante Vesèvo non ha schermo,

E sotto l'ignea cenere che inonda

E del pio villanello arde la speme,

Non renitente al fato, che lo preme,

Tacito piega l'odorata fronda?

Ma tu l'invitto core al fato avverso

Già non piegasti; né natura ingiusta

Fu, se di membra ti negò venusta

Salda compage, e ti concesse il verso

Divino e tutta la beltà ti schiuse

De' profondi suoi regni, onde la mano

Di strali armavi e saëttarla invano;

E lodi sul tuo labbro erano le accuse.

Madre leal l'indebito sogghigno

Or ti perdona; e dove cielo e mare

Han di color meravigliose gare

E di Mantova. dorme il mesto cigno,

Riposo alle tue stanche ossa concede.

Di vïolette il suolo intorno è vario;

E le orme sue gentili il solitario

Passer vi segna col leggiero piede.

Le campane de' villaggi

(1879).

Campane de' villaggi!

Al povero colono

De' dí festivi sull'attesa aurora

Nel duro letto coricato ancora,

Come torna giocondo il vostro suono

Che dell'usato Sol previene i raggi,

Campane de' villaggi!

Campane de' villaggi!

Il triplice concento

Passa rombando nella buia stanza:

Poi rapido dilegua in lontananza

E maggior torna col tornar del vento,

Che fra le cime sibila de' faggi,

Campane de' villaggi!

Campane de' villaggi!

Con voi per una porta

Entrano i sogni dell'età piú cara.

Scorge il buon vecchio un primo sguardo, un'ara

Una schiva fanciulla, or donna accorta,

Che figli il fe' onesti e saggi,

Campane de' villaggi!

Campane de' villaggi!
Come operose amiche
Che l'una l'altra. al mattutin lavoro
Svegliando va, voi vi svegliate in coro,
Voci squillanti dalle torri antiche,
Perché l'uom torni all'opra e s'avvantaggi,
Campane de' villaggi!

Campane de' villaggi!
Il suono a guisa d'onda
Lustral, sulle campagne ampie si spande
E le terre santifica, che grande
Dall'estremo orizzonte il Sol feconda,
L'aria infiammando co' nascenti raggi,
Campane de' villaggi!

Materialismo.

AL PROF. P. E. IN MORTE DI SUA MOGLIE.

Se d'ogni fede schermidor sofista

Ti dicesse: «Colei che piangi e chiami.

Nel vacuo nido e, tolta alla tua vista,

Ne' sogni viva ancor vagheggi ed ami,

Tutta perí. Già sciolta in polve e mista

All'eterna materia, occulti stami

Di sé prepara e screziata lista

Al fiore, al pomo, e nutre il verde a' rami;»

Benediresti, o Piero, alla parola

Livida, glacial che all'alma oppressa

L'ultimo avanzo della speme invola?

Pur sí squallide fole avvien che tessa,

Finché ferve la vita, audace scola;

Poi d'una tomba al piè le disconfessa.

Milton e Galileo.

Quando la notte è nelle valli, e pende

Scolorata la luna alle montagne

Mezzo velate, che gli fan corona,

L'insonne mandrïan leva lo sguardo,

Come a concilio di giganti, e giura,

Se de' venti il romor taccia ne' boschi

E nel burron non mormori il torrente,

Sotto le nubi dell'opposte cime

Udirle favellar. Milton divino

E divin Galileo, l'alte parole

Vostre, che in notte memoranda udîro

Le toscane pendici, se superba

La preghiera non è, dalle mie labbra,

Con augurio di pace oda l'Italia.

I

Scendea, nell'acque del Tirreno il Sole,

Né quegli occhi il vedean che di spïarlo

Primi fur osi. Il carezzevol fiato

Occidentale a respirar, sul colle

Sedea d'Arcetri l'Esule divino,

E le spente pupille al moribondo

Lume girava, un dí suo studio e vanto.

Presso gli stava di virginee bende,

Come, a suora s'addice, il crin velata,

Guardïana fedel, Maria, la dolce

Primogenita sua. Tra ramo e ramo

Gli ultimi raggi dardeggiava il Sole,

Imporporando del Vegliardo il capo

Meditante. Ei tenea sovra una sfera

La manca mano, e con la destra in aria

Scrivea cerchi su cerchi. A quali stelle

Eri volato allor? Quale seguivi

Rivolgimento di lontan pianeta,

Quando improvviso e per nascosti calli

Alla solinga collinetta asceso

Stette l'anglico Bardo al tuo cospetto?

Maria si mosse e di leggier rossore

Le guance aspersa. «Giovane - dicea, -

Chi t'ha scorto quassù? Che cerchi, incauto?

Conosci il loco?». E tacita guatava.

Non d'italo garzone era il seminante,

Quali abbruniti dalla lunga estate

Del Po i figli veggiam, d'Arno e di Tebro;

Non timido l'incesso, e sospettoso

Dello sguardo il piegar, qual d'uomo già domo

All'ignominia del servir. Nel cenno

Della fronte superbo e nella franca,

Sicurtà, dell'andar, riconosciuto

Immantinente d'Albione avresti

Libero alunno. Le distese chiome

Fluttüavano in onda di giacinti

Sull'omero viril: candido il volto

Nobilmente severo, e come il cielo

Azzurreggiante la pupilla e mista

Di profondi splendori. «Al pellegrino —

Prorompea lo straniero — Iddio le porte

Del suo tempio non serra: abita Iddio

In queste mura. Che baciar la falda

Dal sacro monte al suo veggente io possa,

E la parola udir che rivelata

Ha la gloria de' cieli». In piè rizzossi,

Come atterrito, Galileo; la mano

Incontro al suon distese, e, «Se non vieni

Della vista a gioir di mie sventure;

Se non vieni — dicea — d'atroce riso

L'onta a versar sul mio capo cadente,

Già percosso dal folgore, chi sei

Che volger osi lusinghier saluto

Al mortal che gli oracoli di Roma

Hanno diviso da' viventi? Il guardo

Esplorator de' tuoi passi paventa,

L'erma sede paventa e la mia notte,

Ch'è sí splendida altrui. Lunga è la mano

Che m'ha prostrato: valica, le nubi;

E fin tra gli astri il peccatore abbranca».

«Di Roma il minaccioso occhio paventi —

L'altro riprese — l'infelice vulgo,

Che superstizïon schiavo trascina

Per questa lieta di montagne e d'acque

Vasta prigione italica; non io.

Ma di liberi spiriti austera madre

Inghilterra nudrí: Milton mi chiama

La patria mia. Furor d'illustre alloro

Dall'età prima mi divora. In sogno

A me spesso venían l'ombre de' vati

E mi dicean: del glorioso monte,

Figlio, dispera guadagnar le cime,

Se la terra gentil, che di Marone

E di Torquato il divo ingegno accese,

Pria non saluti. L'Oceàn varcai;

Vidi Liguria e dell'Olona il piano:

Vidi Eridano e Tebro: i colli ascesi

Di Partenope: piansi in sulle tombe

Della gloria caduta e non risorta,

Se tu non fossi, o Galileo, che torni

L'inconscia Italia a' suoi regali onori,

E coll'omero atlantico la porta

Del profondo universo apri a' mortali»

Lagrimando al garzon stese la mano

L'inclito Vecchio. Su marmoreo seggio,

Cui fêan spalliera gelsomini e lauri,

Taciturni si assisero. Di flutti

Tal riverso non fia: non tal di spume

Tempestoso bollor, quando d'Atlante

L'Oceàn nel Pacifico la foga,

Ed il suon verserà di sue correnti;

Come i due Grandi de' sublimi sensi

E de' pensier la rattenuta piena

Insieme allor confusero. Si trasse

In disparte Maria; dissimulando

E d'aiuola in aiuola il piè movendo,

Come di fiori a far ghirlande intesa,

Inavvertita dileguò. «T'accosta —

L'Italo disse — a me piú presso, e nudo

Aprimi il ver. Son io creduto ancora?

Fra i magnanimi pochi a cui rifulse

De' novi dommi il raggio, i miei volumi

Ancor son vivi? Ovver dal dí che affranto

Dall'etade o da' morbi, io derelitto

Vecchio tremante, delle corti ignaro,

Avvolto di nemici e combattuto

Da mortali tenori alle minacce

Del Vatican m'arresi e la parola

Rinnegatrice di mie glorie emisi,

Tutto forse perii? Perí la luce

Ch'io primo accesi? Nell'antica notte

Ricadranno le genti, a cui sí bella

Dí secolo miglior l'alba sorgea?»

Levò la fronte l'Ospite e rispose:

«Ben può Giove del Caucaso alle rupi

Prometeo catenar; ben può le membra

Al gran Titano fiedere co' nembi

Eternali; ma pie da' conturbati

Talami le fanciulle Occanine

Vengon notturne ad ascoltar sue pene,

Che sull'aurora, ridiranno a' fiumi

Che solcano la terra. Oscuro giaci,

Carcerato il pensier piú che la salma

E da te discordante, o Galileo;

Ma la favilla che rubasti al Sole,

Prigioniera non è: di gente in gente

Ratto serpeggia ed in aperta fiamma

Già minaccia avvampar, benché dell'ara,

Donde movea, sian raffreddati i marmi.

Ne' deserti del mare quando le spume

Fragorose sormontano, le antenne

Caggiono avvolte e pe' sdruciti fianchi

L'onda nemica nella stiva irrompe;

Al chiaror de' baleni il navigante

Ultimi detti a picciol foglio affida

Che in una fiata all'impeto abbandona

Delle cieche correnti. Il mare inghiotte

Colla nave il nocchier; ma vïatrice

Instancabile nuota alla tempesta

Non men ch'alla bonaccia, e non riposa

Né per notte giammai né per meriggio

Quella pia cristallina urna, che un giorno

Al pescator che la levò dall'alghe,

Narrerà novi climi, isole nove

E fiammante di nove ladi la notte.

Inavvedutamente a scura rupe

Tu pur rompesti, o Galileo: sorrise

De' tuoi naufragi il Vaticano, e chiuso

Nell'eremo sperò di questi colli

L'odiato vero. Ma la tua parola

Indefessa vïaggia; e non del Reno

Alle rive soltanto e del Tamigi,

Ove già franco da' vetusti ceppi

Liberissime vie batte il pensiero;

Ma, del nemico Tevere sull'onde

Venerata risuona; e qualche pio,

Cui la porpora ancor dell'intelletto

Il lume non offese, a' novi veri

Segreto applaude, e sulle tue sventure,

Che immortale di Roma onta saranno,

Versa, arrossendo, generoso pianto».

. . . .

. . . .

DALL'«ASTICHELLO»

(1880-87).

La villa di Cavazzale (I).

Una villetta fabbricai, che appena

Quindici metri si dilata in fronte,

Ricca, piú che di suol, d'aria serena

E di largo, poetico orizzonte.

Quinci dell'Alpi la nevosa schiena

Che vien di monte degradando in monte;

Quindi il cheto Astichel d'argentea vena,

E tinto in rosso sovra l'acque il ponte.

Datur hora quieti in bronzo impresso

Sta sul frontone. È di Virgilio il verso

Là nell'Eneide, ove dal Sonno oppresso

Palinuro ne mostra in mar sommerso.

Naufrago anch'io del mondo e di me stesso

Possa qui ber l'obblío dell'Universo!

Natura e poesia (II).

Sull'aprico rïalto, ove le mura
Del piccioletto mio Linterno eressi,
Erano arate zolle e di matura
Non ignobil vendemmia i tralci oppressi.

Ma tu di me non dorrai, Natura,
Quando, precorsa da' tuoi lieti messi,
Colma il grembo di fiori e di verzura
Verrai di maggio a visitare le mèssi.

O delle cose onnipossente, antica,
Madre immortal, se del tuo fertil regno
Con calce e sasso invasi alcuna parte,

Non sarò sconoscente; e della spica
E del grappolo invece, il desto ingegno
L'etereo fior t'educherà dell'arte.

Passeggiata mattutina (III).

Lascio la soglia allor che alla montagna

Il primo lume imporpora la vetta,

E sovra il bue, che fuma alla campagna,

Trilla perduta in ciel la lodoletta.

L'erta infocata piú e piú guadagna

Il Sol che obliquo il fianco mi saetta,

E l'enorme ombra mia, che m'accompagna,

Sovra le siepi ed oltre il fiume getta.

Guardo, ridendo, alla lunghezza immensa

De' miei mobili stinchi; e cerco invano

Il capo, che fra i rami e l'erba densa

Si perde indistinguibile e lontano,

Come spesso si perde, allor che pensa

Prender piú spazio, l'intelletto umano.

La bellezza dell'Astichello (IV).

D'Omèro a' dí nel tuo muscoso fondo

Di pomici bei seggi e di coralli

E di candide ninfe insonni balli

Credulo avrebbe immaginato il mondo,

O pensoso Astichel, che vagabondo

Pe' taciturni tuoi tornanti calli

Alle sparse d'armenti opime valli

Porti il tuo gorgo limpido e fecondo.

Se della Luna il raggio, che trapela

Tra pioppo e pioppo e la corrente imbianca.

D'una Najade il dorso non rivela,

Non rimpiango l'Olimpo; e m'è ventura

Pascer la mente, di sognar già stanca,

Nella schietta beltà della natura.

L'Astichello e il poeta Trissino (V).

Poche miglia hai di corso; e fra tuguri

Acuminati di cannucce e creta

Ora al sol ti riveli, ora ti furi

E vai, stanco Astichello, a la tua mèta.

Breve corso di gloria, e fati oscuri

Ebbe al suo carme, che sperò di lieta

Accoglienza onorato a' dí venturi,

Quel di tue ripe abitator Poeta

Audace troppo, che cantò dei Goti

Sgombra l'Italia e qui tra piante ed acque

L'ira addolcí de' non sortiti voti.

È piccolo il tuo corso: il suo volume

Cinto è d'obblio. Cosí, come al ciel piacque,

Hanno pari destin poeta e fiume.

Il coro delle villanelle (VI).

Di vispe villanelle allegro coro
Sotto la luna, alla campagna aperta,
Uscían cantando, mano a man conserta,
Dalle sonanti sale, ove il lavoro

Salute e giovinezza immola all'oro
E de' coloni il focolar deserta,
Che contro i guai della stagione incerta,
Dell'obolo figlial fanno tesoro.

Cantando se ne gían sotto la luna
A' lontani abituri; e le compagne
Tutte per via lasciando ad una ad una,

Con la pia squilla, che i defunti piagne.
L'ultima voce nella vasta e bruna
Quiete si perdea della campagna.

Il funerale (VII).

Quel dí le rote tacquero e le spole;
Né risonò nell'ampia sala il canto.
Era di marzo; e non aveva il sole
Rinnovellato alle campagne il manto;

Ancor le siepi non avean vïole,
E fioriva soletto il calicanto.
Ma non mancâr mestissime parole
E d'accorate giovinette il pianto,

Che in bianco abito chiuse, e della cera,
Che nelle destre ardea, piú bianche in viso,
Portavan altre, ed altre in lunga schiera

Seguian la bara dell'estinta amica,
Commiserando il caro fior reciso,
L'orbato amante e l'egra madre antica.

Notte lunare (XII).

Calda è la notte. A guisa di scintille,
Che sprizzano dal ferro arroventato
Sotto i colpi del maglio, a mille a mille
Volteggiano le lúcciole nel prato.

Fluttua nell'acque nitide e tranquille
Dell'Astichèl la luna: in ogni lato
Posan l'aure e le fronde, e dalle ville
Odi appena venir qualche latrato.

Di tetto in tetto con infausto grido
Svolazza la civetta insidïando
De' non piumati rondinini al nido;

Ma, come sopraffatto a tanta pace,
Della terra e del ciel, di quando in quando
Manda un gorgheggio l'usignòlo, e tace.

Nubi (XIII).

Nubi, figlie dell'onda, alato coro,

O che vi piaccia sulle vette alpine

Seder pensose, o nell'oceanine

Ampie correnti tuffar l'urna d'oro;

Per voi non pur di fresche acque tesoro

L'umili valli allegra e le colline;

Ma gli stessi gran laghi e le marine

Di quanto ruba il sole hanno ristoro.

Suore dell'ètra risonante, e dive

Onnipossenti e pie, se vere cose

Di voi cantava sulle scene argive

D'Aristofane l'inno, or che focose

Montano in cielo le grandi ore estive,

Questi lauri salvate e queste rose.

Nubi (XIV).

Agili nubi, com'è bello il vostro
Vario sembiante, quando innanzi al vento,
A somiglianza di fuggiasco armento,
Ite, disperse per l'etéreo chiostro,

Quale cangiante fra topazio ed ostro,
Qual di fòco listata e qual d'argento;
Altra immane centauro al portamento,
Altra, con zanne di marino mostro.

Come il deserto fan le carovane,
Voi l'aria attraversate a tòrma, a tòrma;
Né un color, né una faccia in voi rimane,

Sempre nuove ed antiche. In simil forma
Passan quaggiuso le prosàpie umane
Ed alla vostra egual lasciano un'orma.

Pioggia estiva (XVI).

Il suo stridor sospeso ha la cicala:

La rondinella con obliquo volo

Terra terra sen va: sul fumaiuolo

Bianca colomba si pulisce l'ala.

Grossa, sonante qualche goccia cala,

Che di pinte anatrelle allegro stuolo

Evita con clamor: lieve dal suolo

Di spenta polve una fragranza esala.

Scroscia la pioggia e contro il sol riluce,

Come fili d'argento: il ruscel suona

Che la villa circonda e par torrente,

Sulle cui ripe a salti si conduce

Lo scalzo fanciulletto ed abbandona

Le sue flotte di carta alla corrente.

Maestri e scolari (XIX).

Di neve ha la montagna il capo bianco.

Come dinanzi al precettor canuto

Di fanciulletti sovra l'umil banco

Siede un drappello riverente e muto;

I sottoposti colli, a cui non anco

Di precoce rovaio il morso acuto

Nudo lasciò d'ogni ornamento il fianco,

L'aprico dorso levano fronzuto.

Dall'alto labbro del canuto un fiume

Sgorga a nutrir le pargolette menti

D'aureo saper. Dal candido cacume

Della montagna provvidi torrenti

Scendono a valle e con sonanti spume

Oro e salute apportano alle genti.

L'inverno (XX).

Anche l'inverno ha sue dolcezze. Io movo

Lungo la siepe vedova di fronde,

E nel Sol, che superbo i rai diffonde,

Mi rinfranco dal gelo e mi rinnovo,

Mentre di rovo saltellando in rovo

Il fiorrancio cinguetta; e rubiconde

Coccole e more il ramo non asconde,

I miei verdi fuggiti anni ritrovo,

Quando pe' monti uscía con la civetta;

E poi che tutta la frugai dispensa

M'era consunta e d'altro avea distratta,

Alle siepi chiedeva acerba mensa

Più che ciambelle e pinocchiati accetta;

Né il cor senza diletto ancor vi pensa.

Il picchio (XXI).

Di favolosa porpora le piume
Asperso il picchio, nella scorza antica
Batte de' pioppi e delle fredde brume
La dipartenza annuncia alla formica.

Ridono i campi di piú largo lume;
Ma se sotto i cespugli la pudica
Mammola accenna e lambe il salcio il fiume,
Il bue non ancor esce alla fatica.

Nel pugno alzato il cappellin di paglia,
Tempestoso fanciul dà sovra il prato
Alle prime farfalle aspra battaglia,

E la man d'oro intrisa allegro mira;
Ma la sorella, che gli viene allato,
Ritrae smarrita l'indice e sospira.

La rondine e la cicala (XXIII).

Rondinella crudel, che ti diletti,

Prima ancor che rosseggi la mattina,

Sciorre i tuoi canti, e varchi la marina

Per appendere il nido a' nostri tetti,

Perché la cicaletta non rispetti

Cantante anch'essa, anch'essa pellegrina,

Ma l'assali volando e la rapina

Porti in esca a' tuoi nudi pargoletti?

Alata creatura ad un'alata

Creatura dar morte! Oli, se i poeti

D'Italia cosí fanno, la spietata

Usanza non seguir! Di primavera

Tuo sia l'annunzio: all'altra non si vieti

Esser dell'ardor la messaggera.

Il falco e il gallo (XXV).

Sotto le nubi altissimo si gira

Con lenta rota il falco; e la gallina,

Che del grifagno l'animo indovina,

Sotto la siepe i pargoli ritira.

Ma sull'entrata pien d'orgoglio e d'ira

Piantasi il gallo, e lui che s'avvicina

Di sangue desïoso e di rapina,

Con erto collo e fermo ciglio mira.

Quei cala come folgore: d'un salto

Questi il respinge e de' ricurvi artigli

Piè e rostro oppone all'iterato assalto.

Ma l'unghiuto la pugna ecco abbandona:

Con gli sproni di sangue ancor vermigli,

L'altro il peana del trïonfo intuona.

Il piccolo podere (L).

Per quante terre un dí d'estate il volo
Potesse circuir d'uno sparviero,
Non darei questo breve angol di suolo.
Che mi lascia signor del mio pensiero.

O poderetto mio, picciolo in vero!
Ma piú gran regno ha forse l'usignolo,
Che d'un ramo contento al bosco intero
La sua gioia confida, e il suo duolo?

Non di torrente, che fra scogli infranto
Mugge superbo ed alle ripe insulta,
Auguro il suono al mio povero canto;

Bastami ch'abbia il mormorio dell'onda,
Che, fra le canne e le spinalbe occulta,
Il picciolletto mio regno circonda.

Il ciliegio e lo scaffale della libreria (LVII).

Ero ciliegio: cento volte e cento

I miei rubini maturai: dal suolo

Dopo lunga tenzon sterpommi il vento,

Ed alle man passai dal legnaiuolo.

Fui segato, piallato, ebbi ornamento

Di vernici e di vetri. Ora uno stuolo

Di morti, che immortale hanno l'accento,

Alla polve e de' topi al dente involo.

Guardo Omero, Platone, Orazio e Dante.

Dell'onor che m'è fatto e del riposo

Invidia avranno piú superbe piante;

Io, se il destin mi ridonasse un'ora

Della mia gioventù, volenteroso

Andrei co' venti ad azzuffarmi ancora.

Il gufo (LXV).

Notturno abitator dell'erma torre,

Che due ciuffi hai per serto e d'oro gli occhi,

Con bianca barba, che al petto ti scorre,

Come si addice al re de' grandi allocchi;

Il villanello il tuo singulto aborre;

E perché di sventura non lo tocchi

Fatal presagio, si difila a porre

Sotto la coltre i trepidi ginocchi.

Era d'agosto. Lenta e rubiconda

Si levava la luna alla marina;

Ed io t'intesi dall'aerea gronda,

Commosso salutar la tua regina.

Ah, non è che vil alma in petto asconda

Chi quanto è grande e luminoso inchina.

San Luca (LXXIX).

È san Luca. Due tende in sul sagrato

Con nastri a più colori e con flanelle;

Due deschi con rosolio e con ciambelle,

E vendita di vin sotto un frascato;

D'un vïolino allo stridor, nel prato,

Danzanti co' più giovani le belle,

E, sotto l'olmo, a scambiarsi novelle,

Seduto co' più vecchi il buon curato:

Un fanciul che s'ingrugna ed un che piaghe,

Se sonante ceffata li rimova

Dal fumante paiuol delle castagne;

E l'ebbro canto di chi fa ritorno

E del suo casolar la via non trova,

Chiudono, Luca, il tuo festivo giorno.

Le giovinette e il mistero (LXXXII).

In giulivo drappel vidi piú volte

Urbane giovinette al campo aperto

Prepor ermo sentiero e l'ombre folte,

Di che solingo rivo era coperto.

In quella verde oscurità sepolte,

Con sospetto movendo il passo incerto,

Da quel vago sgomento erano còlte

Che si prova sull'alpe e nel deserto.

Se stormiva di subito una fronda

O ramarro rompea loro il sentiero,

Quanto piú subitanea, piú gioconda

Era in lor la paura. Ah! non nel vero

Agli occhi aperto, ma ben piú profonda

Gioia dell'uman core è nel mistero.

Una villa eretta dal Palladio (LXXXIII).

Con lento passo alle frondose rive

Io mi tolgo talor dell'Astichello;

Né sul quadrante un'ora descrive,

Che al marmoreo non giunga antico ostello,

Ove di Paolo ancor grandeggia e vive

L'impetüoso animator pennello,

Che di ninfe, d'eroi, di numi e dive

De' Calidonî il nido altier fe' bello.

O logge! o mense! o cembali! o vïole!

O sedenti matrone! o di leggiadre

Donzelle e cavalier giochi e carole

Eterna festa! Non negar, Natura

Che tu d'ogni bellezza augusta madre,

Dalla figlia sei vinta in queste mura.

Il grillo (LXXXVIII).

Dolce come di rivoli zampillo

Giù da muscosa pietra, o tintinnio

Di premuto orïuol lusinghi, o grillo,

Di sotto al focolar l'orecchio mio.

Tu nell'imo ricovero tranquillo

Segui indefesso il tuo costume; ed io

Dell'ozïosa seggiola al tuo trillo

Attendo e l'ora delle coltri obblio.

A' gravati occhi miei la lampa asconde

L'ultimo guizzo; il mio pensier io sento

Che si mesce al tuo suono e si confonde,

E parmi fluttüar, come per vento

Leggera nave abbandonata all'onde,

E cosí vaneggiando m'addormento.

Il Salice (XCI).

Io son l'antico salice, che il piede
Bagna nel fiume, e del prolisso crine
L'ombra immota nelle acque cristalline,
Che gli corrono innanzi, impressa vede.

All'onda che passò, l'onda succede
Delle giovani vite pellegrine
Verso il grande Oceàn, che non ha fine
E da gran tempo il mio spirto richiede.

Onda fugace, dentro cui mi specchio,
Se del vampo solare io ti fui schermo,
All'onde già trascorse mi rammenta:

Di' lor che spoglio di verzura invecchio;
E fia grande mercè se al tronco infermo
Ancora qualche estate il ciel consenta.

TRADUZIONI DAL LATINO

Bauci e Filemone.

(Dalle «Metamorfosi» di Ovidio, Libro VIII)

È ne' campi di Frigia una palude,

Ove già sorse villereccio albergo;

Le nere acque un canneto intorno chiude,

Alla folaga asilo ed allo smergo.

Non col fulmine in pugno, ma con rude

Umana forma, dato al cielo il tergo,

Qui Giove con Mercurio un dí calossi,

Che da' piedi i talari avea rimossi.

Si volsero i due numi a varie soglie

Chiedendo ospizio e per la notte un letto;

Ma quella gente di spietate voglie

Chiuse le porte a' due Celesti in petto.

Solo angusta casipola gli accoglie,

Angusta in ver, avea di paglia il tetto;

Ma Baucide, la santa vecchierella

E Filemone suo viveano in quella.

Eran pari d'età: ne' floridi anni

Di sposo e sposa ivi avean preso il nome;

Ivi in pace portando i pochi affanni

Bianche ad un tempo avean fatte le chiome:

Confessavan col labbro e piú co' panni

Quanto eran poveretti; e fean le some

Cosí men gravi di lor sorte oscura,

Né si udí mai lamento in quelle mura.

Chi sia servo là entro e chi padrone

Indarno è che tu vada ricercando;

Tutta la casa fanno due persone

Che il servigio han comune ed il comando.

I due divini nell'umil magione

Piegâr la testa sulla porta entrando;

Come fur entro, a lor tosto una scranna

Trasse cortese il sir della capanna.

Affaccendata Baucide uno strato

Logoro dall'età, sopra vi stese;

Rimosse indi la cenere, e, destato

Il carbon del dí innanzi, il foco accese,

Che di foglie e di scorze alimentato

Al senil soffio in chiare vampe ascese;

Spezzò qualche virgulto e le frondose

Branche all'olla di bronzo sottopose.

Ad un cavolo poi, che frettoloso

L'uom dall'orto recò tronca le foglie;

Con bicorne forcina dal fumoso

Trave questi di porco un tergo toglie,

E tagliato un pezzuol di lardo annoso

In nulle frusti lo minuzza e scioglie

Nell'onda che bolliva. I due Celesti

Fan gl'indugi col dir meno molesti.

Di faggio era una conca alla muraglia

Con chiodo appesa: la dispicca ansante

Bauci che tuttaquanta si travaglia,

E l'empie d'acqua tepida e fumante.

Ivi gli dei da letticciuol di paglia

Tuffan nel vaso rustical le piante.

Era fra i pochi della casa arredi

Un letticciuol che avea di salcio i piedi;

Questo coprir della piú ricca vesta

Che fosse nell'armadio, donde tratta

Non era mai, che ne' giorni di festa,

Ruvida in ver, pur a tal letto adatta.

Cinto a' fianchi il grembiul la mensa appresta

La vecchierella e suda e si arrabatta

Brontolando stizzita, perché vede

Zoppicar della mensa il terzo piede.

Dopoché d'una pentola il rottame

Levò l'ineguaglianza, i numi usciti

Già, dal lavacro, d'inusata fame

Sentendo nel latrante alvo gl'inviti,

Su cuscini adagiârsi, che di strame

Palustre erano duri ed imbottiti.

Perché men grato effluvio non si senta

Baucide il desco stropicciò con menta.

La verde nera bacca di Minerva

In tavola si pone, e la tardiva,

Corniola, che del pari si conserva

Nelle liquide fecce dell'oliva:

Sotto cenere cotte, che non ferva,

Poi mezza serqua d'uova in mensa arriva,

Una forma di cacio, indivia e bieta:

Tondi coppe, vassoi sono di creta.

Fatto di queste ghiottornie l'assaggio,

Viene innanzi un boccal capace e grande

Di creta anch'esso, e piú bicchier di faggio,

Onde di cera un lieve odor si spande.

Né molto andò che fecero passaggio

Dal focolare al desco le vivande.

Il vino, che piú volte si ripone,

Non avea visto piú d'una stagione.

Poi, come si fe' luogo alle seconde
Mense, imbandìrsi datteri rugosi,
E noci e prugne e fichi e rubiconde
Mele con pera, in càlati odorosi;
Uva coperta ancor dalle sue fronde
Venne con favi bianchi e rugiadosi;
Ma sopra tutto agli ospiti piacere
Fece l'altrui buon viso e buon volere.

Videro intanto che il votato vase
Per sé novellamente era ripieno;
Stupefatto Filemone rimase
E la semplice Baucide non meno,
Che come lo sgomento lor süase,
Alzan le mani, ed alla lingua il freno
Sciogliendo a stento, in supplichevol suono
Di quel pasto volgar chiedon perdono.

Sola ricchezza del tugurio e fida
Guardia un'oca è rimasta alla famiglia;
Che in onor degli Dei questa si uccida
Filemone con Bauci si consiglia.
L'oca fuggendo con acute strida

115

L'ali starnazza e dei cammin piú piglia;

Inseguita da' vecchi non altrove

Va salute a cercar che in grembo a Giove.

Intimano gli Dei che non si offenda.

Poi soggiungon: «noi siam dal ciel discesi,

Giove e Mercurio Iddii: pena tremenda

Attende questi barbari paesi.

Soli voi due dalla ruina orrenda,

Mercè la nostra grazia, andrete illesi;

Or via, la casa abbandonate e pronti

Con noi venite in salvamento ai monti».

Obbediscono entrambi, ed in gran fretta,

Appoggiando al bastone il fianco infermo,

Salgono a stento, sull'aerea vetta

D'un lungo clivo dirupato ed ermo.

Erano, quando è 'l trar d'una saetta,

Già presso al luogo, che sarà lor schermo,

Quando, voltisi indietro, manifesto

Videro lino spettacolo funesto.

Ove prima fioría fertil campagna

Eran paludi livide ed immonde;

Piange il buon vecchio e la fedel compagna

Piange i parenti che sepolti han l'onde;

Quando dal flutto punitor, che stagna

Sull'attiguo villaggio e lo nasconde,

Videro intatto uscir del poveretto

Lor casolar, ma non piú quello, il tetto.

Il casolar, che a due bastava appena,

In bel tempio cangiato han gl'Immortali;

Lunghe colonne di pregiata vena

Sono successe a' biforcuti pali;

Una lamina d'oro arde e balena

Ove l'alghe coprían: ne' penetrali

Mettono porte d'intagliato argento

E sfavilla di gemme il pavimento.

Con placido sembiante il maggior Dio

Allor si volse e disse: «O giusto vecchio,

E tu, sua sposa, ditemi il desio

Vostro che a soddisfarlo io m'apparecchio».

Poche parole bisbigliò quel pio

Della fida sua Baucide all'orecchio;

Indi il comune desiderio in questi

Detti fe' manifesto a' due Celesti:

«Dacché di due tapini, a voi devoti,

Vi piace, o numi, interrogar le voglie,

Custodi vostri e vostri sacerdoti

Vivere domandiamo in quelle soglie.

E perché siano pieni i nostri voti.

Come concordi ognor marito e moglie

Siamo vissuti, il nodo un sol dí franga.

Tal che in morte dell'un l'altro non pianga».

Assentí Giove. Vigili ed attenti

Guardïani de' nuovi atrî divini

Invecchiarono insieme; e quando lenti

E curvi per l'età sovra i gradini

Sedean del tempio, i portentosi eventi,

Che avevan visti, narrando ai pellegrini,

Vide un giorno Filemone alla moglie

Subitamente il crin mutarsi in foglie;

E parimente Baucide al diletto

Sposo si avvide frondeggiar la testa,

E salir la corteccia e che del petto

E del collo vestigio piú non resta.

«Consorte, addio», fu l'ultimo lor detto;

E rinchiuse le labbra ebbero in questa.

Ove visse e finí la pia famiglia

Una quercia rimase ed una tiglia.

Tocchi di riverenza i viandanti

V'appendono in passar qualche corona;

E glorïoso ne' votivi canti

Di Filemone e Bauci il nome suona.

Una pia tavoletta, a' rami santi

Sospesa al passegger cosí ragiona:

«Cura de' giusti dagli Dei si prende;

A colui, che gli onora, onor si rende».

DALL'INGLESE

Ad un'allodola

(Da Shelley)

Salute a te, salute,

Volatrice gentil, che da' profondi

Cieli di note argute

Non meditati effondi

Torrenti di che l'alto etere inondi!

Diritta al ciel tu sali,

Come di foco nuvoletta, e pendi;

Rotata indi sull'ali

L'immenso azzurro fendi,

Ed a' tuoi regni nuovamente ascendi.

Nel tremolo baleno,

Che da Ponente di dorata lista,

Solca alle nubi il seno,

Tu navighi non vista,

Navighi d'altri cieli alla conquista.

Del dí, che langue e manca,

Nelle diffuse porpore ravvolta,

Come una stella imbianca

Ne' rai del dí sepolta,

Nessun ti vede e ciaschedun ti ascolta.

I luminosi dardi

Va celando la stella a poco a poco,

Finché si toglie a' guardi;

Ma se del Sol nel foco

Nessun la vede, ognun ne addita il loco.

Pieni son terra e cielo

De' tuoi concenti; qual se d'importuna

Nube squarciando il velo,

Di subito la bruna

Immensità d'argento empia la Luna.

Chi sei? Chi ti somiglia?

Dolci cosí dell'iride i colori

Non piovono alle ciglia,

Come de' tuoi canori

Ghorgheggi l'armonia, piove sui cori.

Sei come vate ascoso

Nell'etereo splendor de' suoi pensieri,

Che d'inno armonïoso

Lusinga, e prigionieri

Fassi i mortali al suo dolor stranieri;

Come regal donzella

In alta torre che cantando affida

Alla segreta cella,

Pria che il dolor l'uccida,

L'occulta fiamma che nel petto annida;

Come un insetto d'oro,

Che sotto l'ombra di conserte fronde

Tesse sottil lavoro,

Che fra le rubiconde

Urne de' fiori e le rugiade asconde;

Come solinga rosa,

Che la virginea tunica discioglie

All'aura ingiurïosa;

Che coll'odor le foglie

Ad una ad una nel passar le toglie.

Di frondi tremolío,

D'erbe bisbiglio, zefiri d'aprile,

Di pioggie mormorio,

Quanto è quaggiù, gentile,

Quanto dolce ad udir passa il tuo stile.

Dinne, leggiadro spirto,

Quale dolcezza i tuoi concenti ispira?

Fra colmi nappi e mirto

Sí dolce non sospira

Notturno accordo d'amorosa lira.

Cori d'allegro imene,

O di trïonfo olimpiche canzoni,

Accanto alle serene

Note, che disprigioni

Dall'ardente tuo cor, son freddi suoni.

A che nascose fonti

L'onda beata attingi? A che pianure?

A che marine o monti?

Dolci d'amor le cure

Sempre ti son? Non provi odi e paure?

Al tuo gioir commista

Esser doglia non può: co' suoi languori

Te noia non attrista;

Canti i tuoi lieti amori

E dell'amor gli occulti tedîi ignori.

Sia, che tu vegli o dorma,

Scerner la morte a te non si disdice

In piú benigna forma

Che a noi sognar non lice;

O sí vispa saresti e sí felice?

Trepidi innanzi, indietro,

Noi volgiam le pupille: al desco accanto

Veggiam starci il ferètro:

E se la bagna il pianto,

Esce piú dolce dalle labbra il canto.

Pur se dolore e noia

Fossero all'uman core affetti ignoti,

Della serena gioia,

In cui t'immergi e nuoti,

Parmi che noi saremmo ancor remoti.

Quanti natura ed arte

Han lieti suoni, quanti fior gl'ingegni

Poser nell'auree carte,

Tu vinci, tu che sdegni

La terra ed ardui voli al vate insegni.

Prestami i tuoi concenti!

Tali in divino rapimento immerso

Diffonderò torrenti

Di suon, che l'universo

Udrammi come io muto odo il tuo verso.

Milton Keynes UK
Ingram Content Group UK Ltd.
UKHW050913260923
429409UK00010B/678